누 콩의 침대

글·그림 나카야 미와 | 옮김 유문조

웅진주니어

누에콩이 가장 아끼는 보물은 바로 침대예요.
구름처럼 푹신푹신하고 솜털처럼 부드럽지요.
"아, 벌써 아침이네!"
누에콩이 침대에서 벌떡 일어나 앉았는데,

"누에콩아, 나도 네 침대에서 한번 자 보자."
초록풋콩이 와서 말했어요.
"안 돼, 안 돼. 이 침대는 내 보물이란 말이야."

"누에콩아, 우리도 네 침대에 누워 보고 싶은데……."
다음에는 완두콩 형제들이 와서 말했어요.
"안 돼, 안 돼. 너희들이 다 누우면 침대가 부서져 버릴 거야."

"나도 그 침대에서 자 보고 싶어."
껍질콩도 와서 거들었어요.
"안 돼, 안 돼. 너한테는 너무 크잖아."

"누에콩아, 그럼 나는?"
땅콩이 말했어요.
"안 돼, 안 돼. 너한테는 딱딱한 네 침대가 어울려."
누에콩은 누구에게도 자기 침대를 빌려주지 않았어요.
그러던 어느 날,

앗!

침대가 없어졌다!

누에콩은 허둥지둥 주위를 둘러보았어요.

"없어, 없어! 아무 데도 없어."

누에콩은 초록풋콩에게도, 완두콩 형제들에게도,
껍질콩에게도, 땅콩에게도 침대를 봤는지 물었어요.

"우리도 몰라."

"몰라."

모두들 모른다는 대답뿐이었어요.

누에콩이 열심히 침대를 찾아보았지만 침대는 보이지 않았어요.

"어쩌지! 난 이제 잘 곳이 없어."

"우리에게 침대를 빌려주지 않아서 벌을 받은 거야."

누에콩을 지켜보고 있던 다른 콩들이 말했어요.

"못 봤어."

"나도 못 봤는걸."

하지만 모두들 누에콩을 불쌍하게 생각하기 시작했어요.
"그래, 우리 침대를 빌려주자."

초록풋콩 침대는 작아.

완두콩 형제들 침대는 좁네.

껍질콩 침대는 **얇아**.

땅콩 침대는 **딱딱한걸**.

"아무래도 내 침대가 아니면 안 되겠어."
누에콩은 다시 침대를 찾아 나섰어요.

몇 날 며칠을 찾고 또 찾아보았지만 침대는 보이지 않았어요.
"이젠 정말 지쳤어. 더 이상은 못 찾아다니겠어……."
누에콩이 중얼거리고 있는데,

메추라기가 누에콩의 침대 위에 쭈그리고 앉아 있었어요.
"어쩌지. 겨우 찾았는데 내 침대에서 알을 품고 있잖아……."

"그래, 잠깐 동안만 침대를 빌려주지 뭐.
하지만 내가 아주 아끼는 보물이니……,
침대 곁에 집을 만들어 놓고 그 안에서 좀 기다려 보는 거야!"

누에콩은 다음날도 그 다음날도 침대를 지켜보았어요.
그런데 점점 침대보다는 알이 더 걱정이 되었어요..
"저 알들은 이제 어떻게 될까?"

그러던 어느 날,

어머!

누에콩의 눈이 휘둥그레졌어요.

짝- 바삭

빠삭 삐삐

삐삐 삐삐

"좋아, 조금 더 힘을 내!"

"해냈어. 아기들이 알에서 깨어났어.
내 푹신푹신한 침대에서 아기 메추라기가 태어났어!"
누에콩이 자랑스럽게 말했어요.

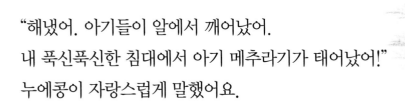

아기 메추라기들은 침대에서 나와
종종종 엄마 뒤를 쫓아갔어요.
"건강하게 잘 자라라!"
누에콩이 손을 흔들자,
엄마 메추라기는 고개를 갸우뚱하며 쳐다보았어요.

누에콩은 드디어 침대를 가지고 돌아왔어요.
"누에콩아! 침대를 찾아서 정말 다행이야.
우리도 많이 걱정하고 있었어."
초록풋콩도, 완두콩 형제들도,
껍질콩도, 땅콩도 한목소리로 외쳤어요.
"우리 모두 축하 파티를 열자!"

푹신푹신한 침대를 찾았다.
오늘은 즐거운 파티를 열자.
팔랑팔랑, 통통, 뿌― 뿌― 뿌―
팔랑팔랑, 통통, 뿌― 뿌― 뿌―

모두 함께 밤 늦게까지 춤을 추며 놀았어요.

그리고 나서 누에콩은
푹신푹신한 침대에 다른 콩들을 초대했어요.
"모두 잘 자!"

글을 쓰고 그림을 그린 **나카야 미와**는

일본에서 태어나 대학에서 조형과 그래픽 디자인을 전공하고, 산업 디자이너로 일했다. 주요 작품으로는 〈도토리 마을의 서점〉 〈도토리 마을의 모자 가게〉 〈도토리 마을의 빵집〉 〈도토리 마을의 경찰관〉 〈도토리 마을의 유치원〉 〈까만 크레파스〉 〈까만 크레파스와 요술기차〉 〈까만 크레파스와 괴물 소동〉 〈누에콩의 기분 좋은 날〉 〈나는 그루터기야〉 등이 있다. 귀여운 캐릭터들의 활약이 돋보이는 유쾌한 작품들을 주로 선보여 아이들에게 큰 인기를 얻고 있다.

글을 옮긴 **유문조**는

일본에서 그림책 공부를 하고 돌아와 좋은 그림책을 소개하고 쓰기 위해 애쓰고 있다.

쓴 책으로 〈뭐 하니?〉 〈아빠하고 나하고〉 〈무늬가 살아나요〉 등이 있다. 쓰고 그린 책으로는 〈수박을 쪼개면〉 〈사과를 자르면〉 등이 있고, 〈그림 옷을 입은 집〉을 그렸다. 옮긴 책으로는 〈틀려도 괜찮아〉 〈너무 울지 말아라〉 〈오늘도 화났어!〉 〈친해질 수 있을까?〉 등이 있다.

웅진주니어

누에콩의 침대

초판 1쇄 발행 2002년 4월 1일 | 개정판 1쇄 발행 2016년 7월 1일 | 개정판 8쇄 발행 2023년 12월 26일 | 글·그림 나카야 미와 | 옮김 유문조

발행인 이재진 | 도서개발실장 안경숙 | 책임디자인 이수현 | 마케팅 정지운, 박현아, 원숙영, 신희용, 김지윤, 황지영 | 제작 신홍섭 | 국제업무 장민경, 오지나

펴낸곳 (주)웅진씽크빅 | 주소 경기도 파주시 회동길 20 (우)10881 | 문의전화 031)956-7404(편집), 031)956-7069, 7569, 7570(마케팅)

홈페이지 www.wjjunior.co.kr | 블로그 blog.naver.com/wj_junior | 페이스북 facebook.com/wjbook | 트위터 @new_wjjr | 인스타그램 @woongjin_junior

출판신고 1980년 3월 29일 제406-2007-00046호 | 제조국 대한민국 | 원제 THE BED OF BROAD BEAN | 한국어판 출판권 ⓒ 웅진씽크빅, 2001 | ISBN 978-89-01-21279-1 · 978-89-01-02697-8 (세트)